L'Île des Glaces

Les Éditions du Boréal remercient le Conseil des Arts du Canada
ainsi que le ministère du Patrimoine canadien et la SODEC
pour leur soutien financier.

Les Éditions du Boréal bénéficient également du Programme
de crédit d'impôt pour l'édition de livres du gouvernement
du Québec.

Diffusion au Canada : Dimedia
Distribution et diffusion en Europe : Les Éditions du Seuil

Catalogage avant publication de Bibliothèque et Archives Canada
Bergeron, Alain M., 1957-

L'Île des Glaces

(Boréal Maboul)

(Les Petits Pirates ; 2)

Pour enfants de 6 ans et plus.

ISBN 2-7646-0400-9

I. Sampar. II. Titre. III. Collection. IV. Collection : Bergeron,
Alain M., 1957-   . Petits Pirates ; 2.

PS8553.E674I43	2005	jC843'.54	C2005-941731-5
PS9553.E674I43	2005		

L'Île des Glaces

texte d'Alain M. Bergeron
illustrations de Sampar

Boréal Maboul

À Danielle Simard, la marraine
du valeureux équipage du Marabout!

« Tous les trésors ne sont pas en or et
en argent, mon garçon… »

Le capitaine JACK SPARROW,
le pirate des Caraïbes

Le valeureux équipage du *Marabout*

Le pirate Jean de Louragan : jeune capitaine et fils adoptif du pirate Suzor de Louragan, décédé à l'âge de 108 ans. Il a hérité de la frégate le Marabout *et d'un bandeau de pirate qu'il porte sur l'œil droit ou sur l'œil gauche, selon le premier pied qu'il pose au sol en se levant le matin.*

*Samedi : cousin éloigné de Vendredi,
le copain de Robinson Crusoé. Il a
la vue perçante d'un aigle et est tout
aussi chauve. Pas étonnant qu'il soit
à la vigie. Un seul problème : il a le
vertige. Et ça, c'est étonnant !*

*Merlan : le mousse du bateau.
Malgré son jeune âge, il a
beaucoup de bonne volonté.
Dommage qu'il soit si distrait.
Mais il est sur le Marabout et il
apprend de ses erreurs.*

7

Bâbord, Sabord et Tribord : triplets identiques surnommés les terreurs de la Huitième mer. Bâbord est né trois minutes avant Sabord et cinq minutes avant Tribord. Un seul signe distinctif entre les trois : l'accent circonflexe sur le prénom de Bâbord.

Dupont-le-Claude : seul membre à bord âgé de plus de 10 ans. Presque aussi vieux que le Marabout, *il a sillonné la Huitième mer. Second du pirate Suzor de Louragan, il est devenu le troisième de Jean de Louragan. Il est aussi à la barre.*

Chapitre

Le 2 juillet 1785.

La journée commence bien mal à bord du *Marabout*. Même la Huitième mer semble de mauvaise humeur.

Partis de l'Îlex il y a un mois, nous naviguons vers l'Île des Glaces en quête du trésor des trésors. Hier encore, il faisait beau et chaud. Ce matin, tout a changé. Jusqu'à nouvel ordre, il faudra prendre son bain tout habillé parce qu'il fait maintenant trop froid.

— Alerte à Bâbord, mon capitaine !

La voix du mousse Merlan me parvient dans ma cabine par un ingénieux système de communication créé par mon père, le pirate

Suzor de Louragan : des boîtes de métal reliées par des fils, sur tout le bateau.

Je n'ai pas le temps de franchir la porte que la voix du mousse éclate à nouveau :

— Alerte à Tribord, mon capitaine… Et à Sabord également !

Je comprends à ce moment qu'il n'est pas question des côtés gauche et droit du navire. Il s'agit des triplets. Que se passe-t-il encore ?

Mon fidèle troisième, Dupont-le-Claude, vient à ma rencontre. Les yeux au ciel, il me fait son rapport.

— Ce sont les triplets, mon capitaine, me confirme-t-il.

À ces mots, des cris incompréhensibles retentissent. Je me précipite sur le pont avec Dupont-le-Claude sur les talons. Bâbord, Sabord et Tribord y sont étendus de tout leur long, les bras battant l'air. Chacun a le bout de la langue collé… à un boulet de canon !

J'exige une explication.

— Ho ! Hon Hahihaine ! dit Bâbord, levant les yeux vers moi.

— Hoi ! Hai Hagné ! lance Sabord, donnant une poussée à son frère.

— Ha ! Hessstion ! Hé hoi ! riposte Tribord, frappant le plancher du bout de ses pieds.

Il faut mettre un terme à cette discussion animée que personne ne comprend de toute façon.

— Suffit, messieurs ! Si quelqu'un pouvait m'éclairer ? dis-je en regardant à la ronde.

Le mousse Merlan s'avance, épongeant le mince filet de sang qui coule de son nez.

— Mon capitaine, les triplets ont organisé une course sur le pont. On devait pousser le boulet de canon avec la langue. Voilà ce qui est arrivé…

— Et votre nez, monsieur Merlan ?

— Hricheur ! Hricheur ! hurlent les triplets. Hortez ha tahette ha houche !

Le mousse baisse les yeux.

— J'ai, euh, triché un peu. J'ai utilisé mon nez au lieu de ma langue… Le bateau a rencontré une vague et le boulet m'a écrasé le nez…

Je me penche vers les triplets pour leur rappeler mes consignes. Par temps froid, on ne doit pas appuyer sa langue ou ses lèvres sur du métal. Il n'est donc pas question d'utiliser la tapette à mousse pour punir l'obéissant Merlan.

— Il convient de verser un liquide chaud pour les sortir de là, monsieur le capitaine, murmure mon fidèle troisième. Je peux chauffer de l'eau ?

Ce ne sera pas nécessaire. Mon chien-loup vient de prendre les triplets et les boulets pour autant de territoires à marquer…

— Pouah ! dit Bâbord qui s'essuie les lèvres en se remettant sur pied.

Les deux autres l'imitent sans trop savoir s'ils doivent maudire ou remercier Milouga-

rou. En tout cas, mon chien-loup, lui, remue la queue, tout heureux.

— J'ai gagné ! prétend Bâbord.

— Pas question ! C'est moi ! riposte Sabord.

— Messieurs ! Vous pourriez vous servir de votre tête, à l'occasion ! leur dis-je en les foudroyant du regard.

— Bonne idée, mon capitaine ! conviennent-ils.

Et les triplets se jettent sur le plancher pour entreprendre une nouvelle course aux boulets, sans la langue.

Poc ! Poc ! Poc !

— Aie ! Ouch ! Ouille !

Cette fois, les têtes de Bâbord, de Sabord et de Tribord heurtent à qui mieux mieux les boulets de canon…

Dupont-le-Claude me tend une tasse de lait au chocolat. J'adore ce breuvage tiré de notre vache brune Soya. Mais cette fois, c'est impossible à boire. Ma boisson préférée s'est transformée en glace !

— Peut-être qu'avec une cuillère ? suggère mon troisième.

Pourquoi pas, après tout ?

Hum… C'est délicieux !

— Droit devant ! L'Île des Gla-Gla-Gla-Gla-Gla-ces ! hurle un Samedi gelé, du haut de son poste de vigie.

Au même instant, le *Marabout* s'arrête net. Nous voilà prisonniers des glaces qui ceinturent l'île !

— Faisons le reste à pied, garçons !

En moins de deux, tout l'équipage se retrouve sur la plage de glace. Merlan ramasse

ce qui ressemble à un coquillage et le porte à son oreille.

— Eh ! On croirait entendre une tempête de neige !

Nous nous dirigeons vers le trésor des trésors. Un gros flocon en indique la position sur ma carte, en plein cœur de l'île.

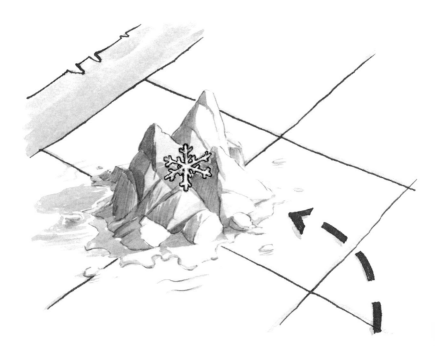

Chapitre

Nous avançons résolument, mais sur la pointe de pieds, car on ne sait jamais… Cette île pourrait bien être habitée. Justement, une voix puissante retentit derrière un bouquet de sapins, juste à la lisière de la forêt :

— Ho ! Ho ! Ho ! Mais quel bon vent vous amène ici, mes amis ?

— Le vent du nord, dis-je en portant la main à mon épée. Qui nous appelle ?

Un homme au physique imposant apparaît. Il porte une veste et un pantalon rouges, des bottes noires, un bonnet blanc et un bandage noir sur l'œil gauche. Une

énorme ceinture noire entoure son gros ventre, tandis qu'une barbe blanche incroyablement fournie lui masque la bouche.

— Je suis Barbe-Blanche, le pirate, annonce-t-il.

À ces mots surgissent derrière lui une dizaine de gnomes, tous coiffés d'un étrange chapeau vert au bout pointu. Ils ne sont pas

particulièrement jolis avec leurs lèvres boursouflées.

À mon tour, je fais les présentations
d'usage, espérant briser la glace. Les gnomes
éclatent de rire quand je mentionne le nom
des triplets.

— Qu'est-ce qui vous fait rigoler ? se vexe
Tribord.

— Ce sont vos prénoms, répond un gnome en gloussant.

— Et eux, comment s'appellent-ils? demande Bâbord à Barbe-Blanche, les dents serrées.

— De gauche à droite, ce sont : Browning, Shopping, Curling, Pouding, Bowling, Looping et Dring-Dring.

Chaque nouveau nom augmente d'un cran le volume du rire de Bâbord, Sabord et Tribord.

— Du calme, messieurs, leur dis-je, tentant moi-même de ne pas m'esclaffer.

— Que venez-vous faire sur l'Île des Glaces? interroge le pirate Barbe-Blanche.

Jouons de ruse et de prudence. Je ne veux

pas lui révéler le véritable motif de notre visite.

— C'est pour le trésor des trésors, s'empresse de répondre Merlan le mousse, soucieux de ne pas être impoli.

À cet instant, je regrette de ne pas avoir apporté la tapette à mousse. J'appréhende le pire. Et le pire serait sans doute une redoutable bagarre, puisque nous sommes inférieurs en nombre.

— Ho ! Ho ! Ho ! s'exclame Barbe-Blanche, imité par les gnomes qui poussent par contre des Hi ! Hi ! Hi !

Notre surprise est totale.

— Normalement, nous vous aurions massacrés dès que vous avez posé le pied sur l'île.
Mais aujourd'hui, c'est la fête de Shopping.
Les visiteurs ont droit de vie et non de mort.
Si vous voulez bien me suivre, je vais vous
montrer notre trésor des trésors. Nous en
sommes bien fiers d'ailleurs. Pour vous, ça ne
représentera pas grand-chose. Mais pour nous,
il n'y a rien de plus précieux au monde…

Je suis emballé. C'est notre journée de
chance.

Chapitre

Guidés par Barbe-Blanche, nous avançons dans la forêt de sapins. Certains arbres sont décorés avec des boules, des coquillages, des guirlandes ou même de petites bougies allumées. Curieuse coutume que celle-là, mais c'est du plus bel effet.

— Bienvenue chez moi, mes amis ! lance le pirate.

À la sortie de la forêt de sapins, un magnifique palais, d'une blancheur absolue, s'offre à nos yeux. C'est le Royaume des Glaces.

À l'intérieur, les grandes salles se suivent, toutes tapissées de miroirs. Dans celle où nous sommes, trois vieux personnages bar-

bus demeurent immobiles face à leur reflet dans la glace.

— Ce sont nos sages, murmure Barbe-Blanche, soucieux de ne pas déranger les nobles vieillards.

Je lui demande ce qu'ils font à se regarder comme ça.

— Mais ils réfléchissent ! me répond-il comme s'il s'agissait d'une évidence.

Bâbord, Sabord et Tribord se sont arrêtés aux côtés des sages.

— Bouh ! Qu'il est laid, ce petit bonhomme, dit Bâbord en désignant l'image de Sabord dans la glace.

— Eh ! Il y en a un beaucoup plus laid qui me dévisage ! renchérit Sabord, insulté, en fixant le reflet de Tribord.

— Ça ne se passera pas comme ça ! Il faut leur régler leur compte ! lance Tribord qui entre dans leur jeu.

Trois secondes. C'est le temps que mettent les triplets pour fracasser les trois miroirs.

— Il bouge encore, celui-là ! crie Sabord qui s'acharne sur un petit morceau de glace.

Ses deux frères le lui arrachent aussitôt des mains et le réduisent en mille miettes.

— Ça lui apprendra à se moquer de nous, dit Tribord, le torse bombé.

Dupont-le-Claude soupire :

— Voilà le reflet de leur bêtise, monsieur le capitaine.

— Sept ans de malheur pour chaque miroir brisé… multiplié par des triplets, ça donne vingt et un ans de malheur, monsieur Dupont-le-Claude !

— Pour eux ou pour nous, monsieur le capitaine ? remarque mon troisième.

Malgré tout ce brouhaha, les trois vieux sages n'ont pas bougé d'un cheveu. Ils fixent maintenant un mur de neige.

— Ho ! Ho ! Ho ! rigole Barbe-Blanche en s'adressant aux gnomes. Il faudra avertir Monsieur Freezing, le marchand de glaces.

Pendant que nous traversons les cuisines du palais, Cooking, le gnome cuisinier du château, interpelle le pirate. Il lui montre le gâteau au chocolat à trois étages qu'il a préparé pour la réception de ce soir. Barbe-Blanche en salive d'envie.

— N'oubliez pas le glaçage… Un gâteau sur l'Île des Glaces doit avoir du glaçage, lui rappelle-t-il.

Merlan le mousse ne fait pas encore très bien la différence entre regarder avec les yeux et explorer avec les mains… Il plonge un doigt dans le gâteau. Cooking en tressaille d'horreur.

— Ah, il n'y a pas de gelée aux fruits ? J'aurais pourtant cru, sur l'Île des Glaces…, fait-il remarquer, le doigt dans la bouche.

— C'est vrai, ça ! renchérit Samedi en l'imitant.

Barbe-Blanche ignore la moue de dédain de son cuisinier :

— Ils ont raison, ce jeune mousse à la vanille et cette vigie au chocolat ! Ajoutez de la gelée !

Nous passons devant une pièce où la nourriture est conservée dans la neige. Un colosse armé de sabres est posté devant la porte.

— C'est notre garde-manger, explique Barbe-Blanche.

— Belle armoire à glace, siffle d'admiration le mousse Merlan. Il a même du gel dans les cheveux !

Escorté par les gnomes, le pirate nous conduit jusqu'aux jardins de cristal, à l'extérieur du palais. Je sens l'excitation grandir en moi. Nous approchons du trésor des trésors ! Et pas besoin de donner un seul coup de pelle, dans la terre ou la neige !

Dans les jardins de cristal, tous les arbres sont recouverts d'une mince couche de glace. Juste à temps, j'avertis discrètement les triplets de ne pas lécher les troncs !

L'instant suivant, un gnome, je pense qu'il s'agit de Looping, apporte un immense sac noir à Barbe-Blanche. Avec l'adresse d'un magicien, celui-ci en tire un petit coffret qu'il manipule avec d'infinies précautions.

— C'est très sensible aux changements brusques de température, prévient-il. Retenez votre souffle.

Nous nous regroupons devant lui, prêts à être éblouis.

— Il nous a fallu plus de deux cents ans de recherches pour finalement *les* trouver dans ce coffre, au beau milieu de l'île. Ce que vous allez voir, mes chers amis, est unique sur la Huitième mer et sur toute l'étendue plate de la terre.

Ému, les mains tremblantes, il ouvre enfin son coffret.

…

Il n'y a… rien !

Chapitre

J'ai regardé trop rapidement. Parce que, en fait, il y a quelque chose, tout au fond du coffret : deux minuscules taches blanches. Ensuite, j'aperçois un parchemin roulé et glissé dans des sangles, à l'intérieur du couvercle.

— Tous les trésors ne sont pas en or et en argent, mon garçon, me signale Barbe-Blanche.

Nos têtes de petits pirates se pressent au plus près de son trésor des trésors. Le maître de l'Île des Glaces en a le souffle court d'excitation.

— Mais qu'est-ce que c'est ? dis-je dans un murmure.

— Vous n'en avez aucune idée ? Ce sont deux flocons de neige identiques, lance-t-il avec un rire nerveux.

— Et alors ?

— Nulle part au monde plat il n'existe deux flocons de neige en tous points pareils, monsieur le capitaine, m'indique doucement Dupont-le-Claude.

— Les habitants de notre île l'ont cherché pendant des générations, reprend le pirate, les yeux dans le vide. Chaque bordée de neige nous apportait ses millions de flocons et l'espoir fou de réussir à en jumeler deux. Et puis nous avons découvert ce coffre enfoui sous la glace, au beau milieu de l'île. Un miracle ! Vous êtes les premiers étrangers à admirer ainsi le trésor des trésors. Les autres ont été massacrés avant…

Ce n'est pas un butin… Il nous faut des pièces d'or, des pierres précieuses pour arrêter d'aller à l'école et nous la couler douce pour le reste de nos jeunes vies. La même déception se lit dans tous les regards de mon équipage… Le *Marabout* ne peut rentrer à Solstrom, son port d'attache, avec seulement… *ça*!

— Et le parchemin ? fais-je d'une voix éteinte.

— Oh ! Il s'agit d'une carte. Mais plus personne ici ne veut prendre la mer. Nous préférons tous rester auprès de notre cher trésor. Pourquoi chercher ailleurs ce que nous avons trouvé ici ? Tenez, ce sera votre cadeau ! annonce fièrement Barbe-Blanche en me tendant le rouleau de papier.

Je m'apprête à le dérouler quand une curiosité bien enfantine pousse Merlan le mousse à se faufiler entre les jambes de l'un des triplets pour mieux voir.

— Du sucre ! s'écrie-t-il dès qu'il aperçoit les deux flocons dans le coffret.

Mon état de déception suprême m'empêche de réagir. Merlan mouille son index.

Sans que personne ait le temps d'intervenir, il pose son doigt sur un des flocons et le porte à sa bouche !

Nous sommes frappés de stupeur. Barbe-Blanche a cessé de respirer, j'en suis persuadé ! Il en laisse tomber le coffret. Le silence est tellement lourd qu'il est difficile à supporter. L'insouciant Merlan grimace.

— Ce n'est même pas du sucre ! Ça ne goûte rien.

Toujours sous le choc, Barbe-Blanche s'écroule par terre. Au moins, il respire : son énorme poitrine se soulève et s'abaisse rapidement. Ses gnomes tentent péniblement de le remettre sur ses pieds, mais ils ne font pas le poids devant cette masse humaine. Je grogne entre mes dents serrées :

— Monsieur Merlan, dès que nous serons à bord de notre navire, rappelez-moi de vous corriger avec la tapette à mousse.

Puis je glisse le parchemin dans la poche de ma veste. D'un bref signe de tête, j'indique aux autres qu'il faut déguerpir. Mais nous ne reculons que de quelques pas.

— Arrêtez-les ! hurle Barbe-Blanche, qui

a repris ses sens un peu trop rapidement à mon goût.

Déjà, une vingtaine de gnomes armés jusqu'aux dents nous ont cernés. Notre fuite est coupée.

Je sors mon épée de son fourreau, imité par les autres membres de mon valeureux équipage ; nous formons un rempart devant Merlan.

— Livrez-le-nous ! gronde Barbe-Blanche, tel un tigre. Normalement, je ne ferais pas de mal à un mousse. Mais nous avons ici un cas d'exception…

— D'accord ! s'écrie Bâbord, tandis que

Sabord et Tribord se préparent à balancer Merlan dans le camp ennemi.

— Pas question, garçons ! dis-je d'une voix autoritaire. Gardons notre sang-froid. Défendons chèrement notre peau et celle de notre ami !

— À L'ATTAQUE ! hurle le pirate de l'Île des Glaces.

Chapitre

La bataille est de courte durée. Malgré tout, les triplets ont le temps de se quereller entre eux sur le nombre d'adversaires.

— Vingt et onze ! dit Bâbord.

— Vingt et douze ! réplique Sabord. Tu n'y connais rien !

— Vingt et treize ! tranche Tribord. Vous ne savez pas compter !

Les pirates de l'Île des Glaces sont, en tout, trente-quatre. Et nous subissons une dégelée !

Submergés par le nombre, nous devons déposer nos armes.

— Parfait ! dit Barbe-Blanche avec un

sourire cruel. Pour ce crime glacé, vous serez froidement massacrés.

Nous voilà bien avancés.

À ce moment, je comprends pourquoi les lèvres des gnomes sont boursouflées. Lorsqu'ils remportent une victoire, ils la célèbrent par un petit rituel. Les voilà qui chantent :

Quinze gnomes sur le coffre au trésor,
Ho ! Ho ! Ho !
Et une bouteille de rhum !

Ils brandissent leur épée. Ils l'agitent au-dessus de leur tête. Ils hurlent à en glacer les sangs. Ils portent leur arme à leurs lèvres. Et… ils l'embrassent !

— Noooon ! hurle Barbe-Blanche. Les imbéciles ! Ils ne tireront jamais de leçon de leurs erreurs ?

La lame de l'épée collée à leur bouche, les gnomes sont désormais incapables de se défendre. Nous en profitons pour fuir les lieux. En m'éloignant, je crie à Barbe-Blanche :

— Je suis désolé pour votre trésor des trésors !

Notre évasion est accompagnée des cris de douleur qui montent du Palais des Glaces. Les gnomes doivent décoller leur épée… Y arrivent-ils seuls ou avec l'aide de Barbe-Blanche ?

Enfin, le *Marabout* nous apparaît ! Nos forces redoublent à mesure que nous nous approchons de la Baie des Glaces…

ÉPILOGUE

Une fois à bord, nous devons songer à libérer notre navire de son piège glacé. Dupont-le-Claude a une idée lumineuse : pourquoi ne pas se servir de l'ancre comme d'une massue pour fracasser la glace ? Il suffirait de la laisser tomber, puis de la hisser et de la laisser retomber.

Ça fonctionne ! Notre navire peut enfin voguer.

La punition de la tapette à mousse sera reportée. Je suis trop dépité de ce voyage blanc sur l'île. Nous reprenons la Huitième mer sans trésor. Et nous avons détruit en une seconde ce que les gens de l'Île des Glaces cherchaient depuis des siècles… L'échec est complet !

— N'avez-vous pas rapporté un souvenir, monsieur le capitaine ? me rappelle Dupont-le-Claude, de son poste à la barre.

Le parchemin !

Je le tire de la poche de ma veste et le consulte, entouré des miens.

— Victoire !

J'ai en main la carte qui nous mènera à notre prochaine destination : l'Île à la Belle dormant.

Rapidement, je jette une bouteille à la mer. Elle contient un message adressé à l'école de Solstrom : nous ne pouvons pas rentrer car notre voyage se poursuit.

— Capitaine ! hurle Samedi de son poste

de vigie. Là, sur la plage !

Barbe-Blanche et ses gnomes agitent leurs épées. Dans ma lunette d'approche, je peux voir leurs lèvres ensanglantées… Ils ne paraissent plus belliqueux, mais simplement démoralisés. On le serait à moins.

Nous devrions les saluer à notre tour d'une salve de canon. Ce serait une façon très pirate de nous excuser. Dès que l'instruction est donnée, Bâbord aide Sabord et Tribord à préparer le tir.

— Feu !

Le boulet de canon siffle dans les airs. Il

passe par-dessus la tête de Barbe-Blanche et frappe de plein fouet la tour du Palais des Glaces, qui s'effondre !

Dans ma lunette, je vois les pirates de l'Île des Glaces fondre… en larmes.

Bâbord reproche à Sabord d'avoir mis trop de poudre. Sabord accuse Tribord d'avoir trop incliné le canon. Tribord accuse Bâbord d'avoir mis le feu !

En colère, je m'écrie :

— Arrêtez de vous chamailler ! Une faute aussi grave mérite une punition exemplaire.